LAURA

Ander werk van Elia Barceló

Bal masqué (2007)
Tangohart (2008)
Stemmen uit het verleden (2009)
Donker geheim (2010)

ELIA BARCELÓ

Laura

VERTAALD DOOR JACQUELINE VISSCHER

AMSTERDAM · ANTWERPEN

2010

Q is een imprint van Em. Querido's Uitgeverij BV, Amsterdam

Oorspronkelijke titel *Laura*
Copyright © 2010 Elia Barceló
Published by arrangement with UnderCover Literary Agents
Copyright translation © 2010 Jacqueline Visscher /
Em. Querido's Uitgeverij BV, Singel 262, 1016 AC Amsterdam

Omslag Marjan Landman
Omslagbeeld Trevillion Images
Foto auteur Stefanie Graul

ISBN 978 90 214 3930 3 / NUR 302
www.uitgeverijQ.nl

Voor Michael,
voor de eerste twintig jaar
van onze vriendschap

Hij wreef met zijn hand over zijn voorhoofd, dat ondanks de warmte koud aanvoelde, keek naar de liggende man en dwong zichzelf in die gedaante vol slangetjes en verbonden aan verscheidene monitors de vertrouwde persoon te zien van zijn vader, die tot voor een paar dagen de sterke en vitale man was geweest die hij zijn hele leven had gekend.

'Papa,' zei hij zacht, 'ik ben er.'

'Doe geen moeite,' zei een verpleegster achter hem in moeizaam schoolengels. 'Hij hoort u niet.'

'Wordt hij in slaap gehouden?'

'Hij ligt in coma, al vanaf het moment dat hij is binnengebracht. Daarom hebben we contact met u opgenomen. Hij droeg uw nummer bij zich om in noodgevallen te bellen.'

'Kunt u me vertellen wat er is gebeurd?'

'Een ongeluk. Blijkbaar is hij aangereden toen hij de straat overstak. De automobilist is doorgereden. Getuigen zijn er niet.'

'Is er hoop dat hij wakker wordt en herstelt?' Bang voor het antwoord wilde hij die vraag niet stellen, maar hij wist dat het onvermijdelijk was.

'Die is er altijd, alleen niet veel. Uw vader is al op leeftijd.'

'Hij is achtenzeventig.'

Er viel een stilte. Uit de aangrenzende kamers kwam een metalig geluid, als van bestek. Ze waren zeker de lunch aan het rondbrengen, ook al was het pas halftwaalf.

'Waar verblijft u?' vroeg de verpleegster.

'In Hotel Central, maar ik heb nog niet ingecheckt. Ik ben rechtstreeks van het vliegveld hierheen gekomen.'

'Gaat u maar naar uw hotel. Ik bel u als er nieuws is. Alstublieft,' zei ze en ze overhandigde hem iets voor ze wegging. 'Uw vaders portefeuille. Normaal bewaren de patiënten hem in de la van hun nachtkastje, maar aangezien hij buiten bewustzijn is, denk ik dat u hem beter kunt meenemen.'

Stram en duizelig verliet hij het ziekenhuis, met een enigszins onwezenlijk gevoel. Hij was de hele nacht onderweg geweest, eerst van Madrid naar Frankfurt, daar een lange wachttijd op de luchthaven, en toen naar Innsbruck, om tot de ontdekking te komen dat zijn vader niet ongeduldig op hem wachtte, maar in die vreemde staat tussen leven en dood verkeerde, ver van alles en zonder zijn aanwezigheid te bemerken.

Hoe lang zou hij daar moeten blijven, wachtend tot er iets gebeurde? Hij had weliswaar nog drie weken vakantie te goed die hij in de zomer niet had opgenomen, maar betwijfelde of de zaak hem zo lang wilde missen. Wat moest hij trouwens doen in een onbekende stad waar ze een voor hem onbegrijpelijke taal spraken, behalve dagelijks een paar uur in het ziekenhuis doorbrengen? Afgezien van de Alpen en skipistes kon hij zich niets bij Innsbruck voorstellen, maar gezien de drukte op straat was het een levendig stadje met veel jonge mensen, waarschijnlijk studenten. Hij zou zich daar toch een paar dagen moeten kunnen vermaken.

Verbitterd dacht hij aan de onthulling die zijn vader onlangs had gedaan, en die hem juist daarheen en naar het ongeluk had geleid. Vijfendertig jaar een gewone relatie en opeens, amper twee weken geleden, kreeg hij te horen dat zijn vader, een van de twee mensen die hij het beste meende te kennen, verscheidene jaren in deze stad had gewoond, een Oostenrijkse vrouw had gehad voor hij zijn moeder leerde kennen, en met haar een dochter had gekregen. Wat inhield dat hijzelf, die altijd gedacht had enig kind te zijn, een halfzus had die vermoedelijk niet eens zijn taal sprak en ook niet van zijn bestaan op de hoogte was.

Zijn vader, die in vijfendertig jaar de hoofdstad van Tirol zelfs niet eens terloops had genoemd, had nu opeens, na de dood van zijn vrouw, besloten terug te keren naar zijn verleden om de dochter die hij in 1966 in de steek had gelaten te leren kennen.

Eenmaal in de hotelkamer die tot twee dagen ervoor de kamer van zijn vader was geweest, ging hij in een fauteuil zitten en keek om zich heen, alsof hij langzaam bijkwam van een flinke kater: de openstaande kastdeuren gaven zicht op een paar colberts aan hangertjes, een stapeltje overhemden op de legplank en twee paar goed gepoetste schoenen op de bodem; de koffer, die ook geopend was, liet een rommelig geheel van truien en ondergoed zien. Op het bureautje lagen een agenda, een adresboekje, een inklapbare paraplu, een zonnebril en wat folders en papieren. Blijkbaar was zijn vader haastig vertrokken, want ofschoon hij nooit erg netjes was geweest, was het niets voor hem om de kamer zo achter te laten. Wat kon hij nog meer afleiden? Dat het niet had geregend toen hij wegging en dat de zon evenmin fel had geschenen. Of dat het avond was. Maar daar kon hij wel achter komen door het te vragen bij de receptie of in het ziekenhuis.

Hij verruilde de fauteuil voor de stoel achter het bureau en wierp een blik op de verspreide papieren. Op een ervan stonden in een beverig handschrift een naam en een telefoonnummer:

Anna Niedermayer: 668027

Zou dat de vrouw zijn die hij zocht?

Hij keek in het adresboekje, dat gezien het model, de vergeelde pagina's en de verbleekte aantekeningen prehistorisch moest zijn, en trof daarin dezelfde naam maar met een ander telefoonnummer aan, waarschijnlijk uit de jaren zestig. In dat geval zou hij niets aan het adres hebben.

Hij deed zijn schoenen uit, ging met zijn handen onder zijn hoofd gevouwen op het bed liggen en overdacht wat hij nu moest doen terwijl hij zich het onlangs gevoerde gesprek met zijn vader voor de geest haalde, dat hem nu voorkwam als in een ver verleden.

Zijn vader had het hem zonder omwegen verteld, op een verbazend neutrale toon voor zo'n expressieve man als hij, terwijl ze een biertje zaten te drinken voor ze samen naar de bioscoop zouden gaan.

'Hoor eens, Miguel. Ik heb besloten een paar dagen naar Innsbruck te gaan. Het is daar prachtig in de herfst en omdat ik sinds je moeders dood toch niet veel meer omhanden heb, had ik zo gedacht dat het een goed idee was daarheen te gaan om enkele lopende zaken af te handelen.'

'In Innsbruck?' had hij glimlachend gevraagd, in de gedachte dat de oude man verplichtingen verzon om actief te blijven. 'Ben je dan wel eens in Innsbruck geweest?'

'Natuurlijk. Ik heb er een paar jaar gewoond voordat jij geboren werd.'

'Wat deed je daar?'

Zijn vader had wat voor zich uit geglimlacht, alsof hij een film voorbij zag trekken die alleen voor hem werd vertoond. Hij nam een slok van zijn bier. 'Ik was er gastdocent aan de universiteit en gaf Spaans.'

'Gaf jij Spaans? Nadat je was afgestudeerd?'

'Nee, zeg. Veel later. Ik liep al tegen de veertig, maar in die tijd begon de belangstelling voor Spaans op te komen; er waren daar niet veel moedertaalsprekers en ze boden me een tijdelijk contract aan; ik accepteerde de baan en was van plan een of twee semesters te blijven. Uiteindelijk werd het vier jaar.'

Hij had geknikt, geërgerd, enigszins gekwetst omdat hij er nooit iets van geweten had.

'Waarom heb je ons dat nooit verteld?' vroeg hij nadat hij zijn glas had leeggedronken en voor beiden nog een biertje had besteld, terwijl hij bij zichzelf besloot de bioscoop te laten voor wat het was.

'Omdat ik niet bepaald trots was op die periode in mijn leven.'

Hij wachtte even tot de oude man verderging, maar die leek weer in zijn eigen wereld verzonken.

'Mama wist het dus ook niet.'

'Nee.'

'Wij hebben altijd in de veronderstelling verkeerd dat jij net uit Argentinië terug was toen jullie elkaar hier in Madrid leerden kennen.'

'Dat was ook bijna waar. Zoals je weet heb ik het grootste deel van mijn jeugd in Zuid-Amerikaanse landen doorgebracht omdat je grootouders in de oorlog zijn geëmigreerd. Ik studeerde in Buenos Aires, ging een paar jaar naar Europa, toen naar de Verenigde Staten, keerde terug naar Europa, bleef een paar jaar in Innsbruck en eindigde in Spanje, want toen ik je moeder had ontmoet was het voor mij duidelijk dat zij was wat ik zocht. Ik was bepaald geen jongeman meer en wilde niet het risico lopen haar te verliezen.'

'Waarom zou je haar verliezen?'

Zijn vader gebaarde om een sigaret, hoewel hij al een eeuwigheid was gestopt. Kalm stak hij de sigaret aan en keek hem even aan, voor hij zijn blik langs hem heen naar de voorbijgangers op straat liet dwalen.

'Destijds had ik in Innsbruck,' hij hoestte, nam een slok bier, 'een... nou ja, wat je tegenwoordig relatie noemt. Ik was al vier jaar met haar samen toen ik tijdens een reis je moeder leerde kennen. Eenmaal terug vertelde de Oostenrijkse me dat ze zwanger was.'

'En jij liet haar in de steek,' had hij gezegd, in de hoop dat het antwoord anders zou zijn.

'Ik liet haar in de steek en vertrok naar Spanje. Het meisje heb ik nooit gezien.'

'Hoe weet je dat het een meisje was?'

'Omdat ze me nog maanden heeft geschreven.'

Er viel een lange stilte die geen van beiden wist te doorbreken.

'Heb je ze in elk geval wel geld gestuurd?'

De oude man schudde langzaam zijn hoofd. 'Dan zou je moeder het hebben gemerkt.'

Dat was waar. Zo lang hij zich kon herinneren was het zijn moeder geweest die bij hen thuis de financiën had beheerd.

'Waren ze dan wel in goeden doen?'

'Ze was kapster.'

Hij vond het zo moeilijk zich zijn vader met een kapster voor te stellen dat hij bijna in lachen uitbarstte om de spanning te breken. Zijn ouders hadden elkaar leren kennen op een receptie van de Argentijnse ambassadeur in Madrid; hij wist niet beter dan dat ze tot de hogere kringen behoorden.

'Daarna hoorde ik niets meer van hen, tot zo'n twaalf of dertien jaar geleden. Ze schreven me een paar keer om te zeggen dat ze geld nodig hadden voor de studie van het meisje, maar als ik dat zou hebben gestuurd, was het net of ik toegaf aan chantage, begrijp je?'

'Ofwel, je hebt haar nooit erkend.'

'Nee. Voor je moeder was ik een ongebonden man. Je weet hoe ze was; ze zou het nooit hebben geaccepteerd. Daarom dacht ik dat het, nu ze er niet meer is, misschien nog niet te laat is om te kijken of het geen vergissing was. In elk geval wil ik haar zien en als ze me bevalt, neem ik haar misschien in mijn testament op. Ik hoop dat je dat niet erg vindt.'

'Het is jouw geld. Je kunt ermee doen wat je goeddunkt.'

Vanaf dat moment was het gesprek steeds agressiever geworden en hadden beiden dingen gezegd die ze in andere omstandigheden nooit tegen elkaar gezegd zouden hebben. De dag voor hij naar Oostenrijk vertrok had zijn vader hem een kaartje gestuurd met het adres van zijn hotel in Innsbruck en slechts één regel: 'We praten zodra ik terug ben.'

En nu kon hij niet meer praten. Hij lag als een plant in een ziekenhuisbed en kon hem niet vertellen of hij die vrouw had gevonden, of hij zijn dochter had ontmoet, of hij had besloten haar te erkennen.

Hij ging op de rand van het bed zitten en toetste zonder goed te weten waarom het nummer van Anna Niedermayer in. Bij het tweede belsignaal werd het antwoordapparaat ingeschakeld; het bandje zei iets onbegrijpelijks en vervolgens klonk er een piep.

'Hallo,' improviseerde hij in het Engels terwijl hij zijn best deed duidelijk te praten. 'Met Miguel Santisteban, de zoon van Rafael. Mijn vader heeft een ongeluk gehad. Hij ligt in de kliniek, in coma. Ik ben in Innsbruck, in Hotel Central. Ik wilde alleen,' – ja, wat wil je eigenlijk, dacht hij terwijl hij zichzelf de woorden hoorde uitspreken – 'ik wilde u alleen zeggen dat ik graag met u beiden zou willen spreken, als u dat ook wilt, uiteraard. Ik blijf hier nog een paar dagen. Ik wacht op uw telefoontje.'

Hij hing op en voelde zich stompzinnig. Waarom wilde hij met die twee onbekende vrouwen praten? Het was louter beleefdheid om ze op de hoogte te stellen van het ongeluk, ervan uitgaand dat zijn vader contact met hen had opgenomen, zodat ze zich niet zouden afvragen waarom hij niet meer belde. Hij moest ze dan wel informeren over het gebeurde, maar waarom zou hij ze willen leren kennen? Morbide nieuwsgierigheid? Nostalgie naar een onbekende zus? Of was het gewoon om iets te doen te hebben, iets om de komende dagen naar uit te kijken?

Hij nam een douche, kleedde zich om en ging op zoek naar een gelegenheid om iets te eten, wat niet moeilijk bleek, want in het hotel waar hij verbleef was een uitstekend restaurant.

Na de koffie in de Weens aandoende salon met witmarmeren ronde tafeltjes en grote kristallen kroonluchters, werd hij overvallen door een gevoel van onrust, van dreiging, alsof hij iets dringends moest doen, maar niet wist wat en evenmin waar hij heen moest om zijn taak te verrichten, dus ging hij maar naar buiten en wandelde door de oude binnenstad om die drang iets te moeten doen weg te nemen, of in elk geval zijn overtollige energie kwijt te raken. Het was een warme, zonnige middag; de herfstzon ontlokte de oude gevels een honingkleurige glans en de hoge bergen met besneeuwde toppen verrezen aan de noordelijke horizon als achtergrond van het Goldenes Dachl, dat belegerd werd door toeristen van allerhande nationaliteiten. De terrassen waren afgeladen met mensen die van de warme middag genoten en plotseling voelde hij zich buitengesloten, absurd, verloren op een plek die hij niet zelf had uitgekozen, in een povere nabootsing van een ongewenste vakantie terwijl zijn vader lag te zieltogen in een kliniek, en honderden vragen onbeantwoord bleven. In zichzelf gekeerd liep hij terug naar het hotel en bedacht dat hij, als hij nu in Madrid was geweest, een bioscoop zou binnengaan om daar pas 's avonds weer uit te komen en de dag als beëindigd zou beschouwen, terwijl hij hier zelfs die troost niet had omdat alle films in het Duits werden vertoond.

Toen hij bij de receptie zijn sleutel vroeg, haalde de medewerker een briefje uit zijn vakje: 'U hebt een telefonische boodschap, meneer.'

Hij voelde een stomp in zijn maag en kreeg opeens een bittere smaak in zijn mond. Dat was vast de kliniek geweest, met niet bepaald goed nieuws.

Hij keerde de balie de rug toe en liep er een paar passen vandaan om het briefje te lezen.

'Ik verwacht u om halfacht in Café Katzung. Margit.'

Even was hij beduusd. Hij was er zo zeker van geweest dat het om het bericht van zijn vaders dood ging dat de woorden niet meteen tot hem doordrongen. Wie was verdorie Margit? En waarom ging ze ervan uit dat hij haar wilde ontmoeten?

'Neem me niet kwalijk,' zei hij tegen de receptionist, 'kunt u me vertellen waar dit café is?'

'Zeker, meneer. Het is heel bekend. Het is in de oude binnenstad, op een steenworp van het Goldenes Dachl, aan de linkerkant, onder de arcaden. U kunt het niet missen. De grote ramen, net etalages, ziet u meteen.'

Margit. De naam in zijn vaders oude adresboekje was Anna, maar het kon om haar dochter gaan, zijn halfzus dus. Waarom dacht ze dat hij haar zou herkennen? Ging ze er soms vanuit dat hij foto's van haar had gezien?

Hij ging naar zijn kamer en onderzocht nauwgezet zijn vaders spullen, op zoek naar meer gegevens: een brief, een foto, iets waardoor hij met summiere informatie op die afspraak kon verschijnen. Er was niets, niet in de kast, niet in de koffer. In zijn vaders portefeuille zat wel een foto, maar daar stonden zijn moeder en hijzelf op, toen hij achttien of negentien was, beiden glimlachend, op het Trocadéro tegenover de Eiffeltoren.

Om tien voor halfacht, nadat hij zijn vader weer had bezocht in de kliniek, zat hij aan een onopvallend tafeltje voor twee in Café Katzung, dat hij inderdaad moeiteloos had gevonden. Na zijn wandeling 's middags was het bewolkt geworden en nu hing er slechts een mat, grijzig schijnsel boven de straten, die langzaam waren leeggestroomd. Iedereen die door het steegje liep waaraan zijn tafeltje grensde had een paraplu bij zich, wat hem eraan herinnerde dat hij die van hem, of beter gezegd die van zijn vader, in het hotel had laten liggen.

'Miguel Santisteban?' vroeg een vrouwenstem.

Met een ruk wendde hij zijn blik af van het raam en ging staan. De vrouw was ongeveer van zijn leeftijd en lengte, en had kort, nachtzwart geverfd haar met een paar gekleurde lokken erdoorheen. Ze had felblauwe ogen en droeg een bril met een rechthoekig zwart montuur. Een paar beroepen kwamen bij hem op: uitgever, journalist, grafisch ontwerper.

'Spreekt u Spaans?' vroeg hij, onzeker.

'Ja, geen probleem. Mag ik gaan zitten?'

'Natuurlijk, neem me niet kwalijk, uiteraard, gaat u zitten.'

'Ik ben Margit Linherr,' zei ze terwijl ze haar hand uit-stak. 'Laura's beste vriendin.'

'Laura?' echode hij en hij voelde zich dwaas zonder goed te weten waarom.

'Laura Niedermayer, Anna's dochter, degene die u wil-de ontmoeten, weet u nog? U hebt een bericht ingespro-ken op het antwoordapparaat.'

'Ja, ja, natuurlijk. Ik... dit... konden ze niet komen?'

Margits gezicht vertrok, alsof ze zojuist op iets bitters had gebeten dat haar mond vervormde. 'Anna is ander-half jaar geleden gestorven.'

'Ach, dat spijt me. En... Laura?'

'Ze wilde dat ik u dit gaf.' Ze bukte zich en haalde een kartonnen doos met rood bindgaren eromheen uit haar rugzak. 'Het zijn oude foto's, wat brieven, niet echt be-langrijk, maar ze dacht dat u er belangstelling voor zou kunnen hebben.'

Miguel pakte de doos aan en terwijl hij de knoop los-maakte voelde hij in zijn keel een andere knoop vaster worden. De eerste foto liet een man en een vrouw in een bos zien. Hij had zijn arm om haar schouders ge-slagen en beiden lachten naar de camera. De vrouw was blond en slank. De man was zijn vader, lang geleden, met heel zwart haar en een franquistisch snorretje dat als een inktstreep over zijn gezicht liep. *Igls, 1964*, ontcijferde hij op de achterkant van de foto. Een beeld uit een voor hem onbekende periode waarvan hij tot voor kort zelfs niets geweten had en die nu dankzij dat rechthoekige stukje papier aan werkelijkheid en consistentie won.

'Is dat Anna?'

'Ja, voor Laura werd geboren.'

Op sommige foto's stonden ze met vrienden, in skikleding, tijdens een uitstapje of zingend bij gitaarmuziek; andere waren alleen van Anna, waarop ze lief of met een schelms lachje naar de fotograaf keek. Er waren foto's bij van een in het roze geklede baby, en nog meer foto's van dezelfde baby een paar maanden later op de arm van een vrouw, Anna, die ouder was geworden, wallen en om haar mond een verbitterde trek had. De laatste waren van een blond meisje met dik, steil haar en grote grijze ogen waarin een melancholische blik lag; hetzelfde meisje in een communiejurk; als tiener met boeken tegen haar borst gedrukt; een portret van Laura toen ze in de twintig was, met schouderlang blond haar dat half over één oog hing en een raadselachtige glimlach.

'Wat vindt u van uw zus?' vroeg Margit toen Miguel de laatste foto weer in de doos liet vallen.

'Een plaatje.'

'Na Anna's overlijden ging ze er slechter uitzien, maar ze is altijd heel knap geweest. We hebben elkaar leren kennen op de universiteit, werden vriendinnen en deelden een flat. Sindsdien zijn we huisgenoten geweest, afgezien van de twee jaar dat ze in Wenen woonde, met Paul, en de periode dat ik met Martin was, maar uiteindelijk kwamen we weer bij elkaar.'

Ze bestelden een biertje en toen de serveerster wegliep vielen ze weer stil, niet wetend hoe ze het gesprek moesten voortzetten.

'Waarom heeft ze u gestuurd, Margit? Wil ze me niet ontmoeten?'

'Daar heeft ze haar hele leven naar uitgekeken, Miguel. Het was haar droom haar vader en haar broer te leren kennen, dat hij haar zou erkennen, dat ze eindelijk bij de familie zou horen. Maar haar vader beantwoordde haar brieven nooit en de advocaten gaven haar weinig hoop.'

'Mijn vader had net besloten ze op te zoeken om met hen te praten, maar hij heeft een ongeluk gehad en ligt nu in de kliniek. Ik weet niet of hij daar nog tijd voor heeft gehad.'

'Ja, dat van het ongeluk weet ik. U hebt het ingesproken. Ik luisterde de band af en liet een boodschap voor u achter in uw hotel.'

'Weet u of mijn vader nog te weten is gekomen dat Anna is overleden, of hij Laura nog heeft gezien?'

'Nee.'

'U weet het niet?' Margit sprak goed Spaans, maar het was hem niet duidelijk wat ze bedoelde, want dat 'nee' kon je op minstens twee manieren uitleggen.

'Ik weet het wel. Hij is het niet te weten gekomen en hij heeft zijn dochter niet gezien.'

'Waarom niet?'

'Omdat Laura vorige maand is gestorven.'

De regen kwam opeens met bakken uit de hemel, sloeg tegen het plaveisel en spatte op tegen de glasplaat die hen van de straat scheidde. Een paarse flits verlichtte het café en een paar seconden later klonk er een donderslag waarvan de clientèle niet onder de indruk leek.

'Zomerse onweersbuien zijn hier heel normaal,' luidde Margits commentaar.

'Het is geen zomer meer.' Miguel nam een grote slok van zijn bier om zijn verwarring te maskeren.

'Over een halfuur regent het niet meer, let maar op.'

'Hoe is ze gestorven?'

'Laura?' Margit haalde even haar schouders op, alsof het niet zo belangrijk was. 'Een ongeluk op de berg. Ze is naar beneden gestort. De politie zei dat het ook zelfdoding kan zijn geweest. Ze vroegen me of ik dat mogelijk achtte.'

'En wat zei u toen?'

Margit beantwoordde zijn vragen, maar ze was niet bepaald spraakzaam; hij moest de informatie er echt uittrekken. Ze haalde haar schouders weer op, nam een slok bier en zette het glas zorgvuldig terug op het bierviltje voor ze antwoord gaf.

'Ik vertelde hun dat het zou kunnen. Ze had het heel moeilijk met de dood van haar moeder. Die was nog geen zeventig. Laura stuurde verscheidene brieven naar Spanje, maar haar vader, Rafael, nam niet de moeite ze te beantwoorden. Ik weet niet of u het zich kunt voorstellen, Miguel, maar Laura was geobsedeerd door die man. Anna had het huis vol staan met foto's van hem, van vroeger. Rafael was het belangrijkste gespreksonderwerp. Laura studeerde Spaanse taal en cultuur omdat haar moeder wilde dat ze in zijn eigen taal met hem kon praten, mochten ze weer bij elkaar komen. Het arme mens ging gebukt onder de last van zijn verlating. Het zou kunnen dat Laura die dag in de bergen besloot dat ze er niet meer tegen kon, dat het geen zin had te blijven vechten voor een erkenning en een liefde die nooit zouden komen. Het zou kunnen dat ze zich in de afgrond heeft gestort. Ik weet het niet.'

'Heeft ze geen signalen afgegeven?'

'Een paar dagen ervoor liet ze me deze doos zien die ze had klaargemaakt, maar het kwam geen moment bij me op dat ze zelfmoord zou willen plegen. Dat soort dingen was normaal voor Laura; ze was haar hele leven bezig met plannen maken voor het geval hij terug zou komen. Of u.'

'Ik? Ik wist niet eens dat ze bestond.'

Margit keek hem strak aan, alsof ze probeerde te zien of hij de waarheid sprak. Miguel zag zich gedwongen door te gaan om de stilte te vullen.

'Mijn vader vertelde het me nog geen twee weken ge-

leden. Hij heeft het meer dan dertig jaar verborgen gehouden voor mijn moeder en mij. Ik geloof dat hij die
periode uit zijn geheugen had gewist.'

'Waarschijnlijk niet alleen die periode,' mompelde
Margit, nogal cryptisch.

'Wat bedoelt u daarmee?'

'Uw moeder behoort tot de Madrileense hoge kringen,
nietwaar?'

'Behoorde. Ze is twee jaar geleden gestorven.'

'Ik geloof niet dat Rafael graag had gewild dat zijn ele-
gante echtgenote te weten zou komen wat voor werk hij
in Argentinië deed voor hij naar Europa moest vertrekken.'

'Waar hebt u het over?' Zijn stem klonk schel, agressief.

'Het doet er niet toe. Dingen die ik heb opgevangen en
die niet te verifiëren zijn. Ik moet gaan,' zei ze terwijl ze
opstond.

'Nee, alstublieft, Margit, ga nog niet weg. We hebben
veel te bepraten.'

Ze ging weer zitten, op het randje van haar stoel. 'Volgens mij hebt u voor vandaag wel genoeg gehoord.'

Miguel schudde zijn hoofd, niet alleen om dat te ont-
kennen, maar ook om de zwarte vlekjes te laten verdwijnen die voor zijn ogen dansten.

'Vertel me over Laura. Alstublieft...' voegde hij er wat
zachter aan toe.

'Wat zal ik zeggen? Ze was heel knap, heel ongelukkig.
Ze droeg meestal groene of lichtroze kleding. Ze leed er-
onder dat ze niet op haar vader leek, dat ze wat uiter-

lijk betrof niets Zuid-Europees had geërfd. Ze gaf Frans en Spaans op een middelbare school. Ze danste de tango. Ze had veel Argentijnse vrienden en ging regelmatig naar Buenos Aires. Met mannen had ze weinig geluk; ze viel voor oudere mannen en die hebben vaak al een heel verleden: kinderen, exen, veel kosten, weinig tijd. Ze had alleen haar moeder en mij, haar collega's en bekenden met wie ze iets ging eten of drinken niet meegerekend. Ze was introvert en dromerig. Ze hield van fantastische literatuur en geloofde dat de werkelijkheid uit veel meer bestond dan datgene wat ons dagelijks omgeeft. Ze geloofde stellig in geesten en wachtte het hele afgelopen jaar op een bericht van haar moeder van gene zijde. Dat droeg bij aan haar depressie, want volgens haar logica was het zo dat als haar moeder – op deze wereld degene die het meest van haar gehouden had – geen contact met haar zocht, dat twee dingen kon betekenen, en die waren allebei vreselijk: of dat er na de dood niets was, of dat ook zij haar in de steek gelaten had.'

Margit zweeg en Miguel kneep zijn ogen stijf dicht. Een paar minuten zei geen van beiden iets. Margit tekende cirkeltjes op de tafel met het vocht dat van Miguels bierglas was gegleden en hij keek uit het raam, naar de avond, naar de regen die inmiddels bedaard, als getemd viel.

'Hoe gaat het met uw vader?' vroeg ze ten slotte.

'Hetzelfde. Alsof hij dood is.'

'Hoe lang blijft u hier?'

'Ik weet het niet. Ik neem aan dat ze me wel een paar

dagen vrij geven. Als ik mijn vakantie opneem, zou ik het tot twee weken kunnen rekken, maar eigenlijk heeft het weinig zin hier te zijn.'

'Een dezer dagen gaan ze u toestemming vragen om de apparatuur los te koppelen. Op die leeftijd wachten ze daar niet lang mee.'

Miguel keek op en staarde haar aan, geërgerd.

'Bent u geen voorstander van euthanasie?' Ze vroeg het volstrekt ongedwongen.

'Daar heb ik eerlijk gezegd nooit over nagedacht.'

'Nou, begin daar nu dan maar mee. In wezen verleent u hem een gunst. Laat hem gaan. Ze zijn immers allemaal al gegaan.'

'Ik niet.'

'Als u het prettig vindt hem in een bed te zien liggen, aan de beademing...'

'Het is mijn vader.'

Ze zei niets en pakte haar rugzak van de grond. Opeens raakte Miguel in paniek bij de gedachte alleen in dat bijna lege café te moeten blijven, alleen naar buiten te gaan, alleen in zijn hotelkamer te zijn.

'Ik trakteer u op een etentje. Zeg alstublieft ja. Alstublieft.'

Ze knikte zonder te glimlachen. Miguel ging de biertjes afrekenen en ze verlieten zwijgend het lokaal. De regen was inderdaad opgehouden en de straatstenen glinsterden in het licht van de lantaarns.

Het was een heel lange nacht. Ondanks de vermoeidheid van de reis en al het nieuws dat hij die dag te horen had gekregen, weigerde zijn geest zich los te maken om in het gezegende niets van de slaap weg te zinken. Telkens weer gingen fragmenten van zijn gesprek met Margit door zijn hoofd, *wat voor werk uw vader in Argentinië deed, ze was heel knap en heel ongelukkig, het arme mens ging gebukt onder de last van zijn verlating, Anna had het huis vol staan met foto's...* in nog geen twee weken was alles in zijn leven, zijn idee van zijn eigen plaats in de wereld, veranderd; zijn vader had in een fundamentele leugen geleefd en zij hadden nooit iets gemerkt... na de dood is er niets meer, *ze hoopte dat haar moeder van gene zijde contact met haar zou zoeken, de politie denkt dat het zelfdoding was...*

Het was heel warm in de kamer, zijn hoofd zakte weg in het donskussen, dat akelige dekbed gleed constant weg omdat het aan het voeteneind niet ingestopt kon worden en hij moest het steeds weer pakken, opstaan om wat water te drinken, tussen de gordijnen door de hemel afspeuren om te zien of de eerste tekenen van de dageraad zich al aandienden zodat hij... wat eigenlijk? Doelloos buiten rondlopen in een plaats waar inmiddels alle personages van de geschiedenis die hij nog maar net was gaan ontdekken verdwenen waren?

Om vijf uur 's ochtends stond hij definitief op, douchte zich en ging met de handdoek omgeslagen aan het bureautje zitten om de foto's te bekijken en de brieven te lezen die Laura voor hem had uitgekozen voor ze een berg beklom en haar vlucht naar de rotsen in de diepte inzette.

Er waren foto's bij waarvan hij zich niet kon herinneren dat hij ze in het café had gezien, maar ze volgden hetzelfde patroon: Anna, telkens ouder en verwelkter, of Laura, altijd wat wazig, mysterieus, enigszins onwerkelijk. Van de drie brieven waren er twee voor zijn vader bestemd; ze begonnen met 'lieve papa' en uit een instinctieve schroom die hem verbaasde wilde hij ze niet lezen; één brief was aan hem gericht: 'lieve onbekende broer, lieve Miguel'. Hij was niet gedateerd en moest in een emotionele bui geschreven zijn, want het handschrift was beverig en de regels gingen onbeheerst omhoog en omlaag:

ik weet al jaren van je bestaan en hoop
sindsdien dat je contact met me opneemt, al was
het maar uit nieuwsgierigheid, om me te zien,
om te weten wie ik ben. Mogelijk heb je papa's
lafheid geërfd en wil je niet geconfronteerd
worden met werkelijkheden die je niet bevallen,
maar dat weiger ik te geloven. Ik heb altijd
gedacht dat je moeder jullie twee bij ons
vandaan gehouden heeft.

Verscheidene malen heb ik voor de deur van jullie huis in Madrid gestaan; het was het pelgrimsoord van al mijn bezoekjes aan Spanje, maar een butler of een andere bediende liet me nooit binnen en ik mocht evenmin een boodschap voor je achterlaten. Waarschijnlijk heb je mijn brieven niet gekregen. Daarom maak ik me ook niet veel illusies wat deze brief betreft, en de bijbehorende doos die ik voor je aan het klaarmaken ben. Misschien verstuur ik hem niet eens. Ik ben moe. Heel erg moe. Ik probeer mijn leven lang al door een ondoordringbaar oerwoud bij jullie te komen en inmiddels doen mijn armen pijn van het almaar wegkappen van alles wat ons scheidt. Misschien is mijn lichaam zelf wel het obstakel. Misschien zou ik, als ik enkel een geest was, bij je kunnen komen en zou je me herkennen. 'Doden dringen dwars door muren heen,' houd jij ook van Don Juan Tenorio?

Ik zal altijd aan je denken, mijn broertje, de broer met wie ik als kind had moeten spelen, met wie ik geheimen en verrassingen zou hebben gedeeld als de dingen anders waren gelopen, als je moeder niet had bestaan. Wanneer ik mijn lichaam verlaat, zal ik je zoeken

Er stond geen punt na de laatste regel, die een duikvlucht naar de onderkant van het vel papier maakte. Er ging een rilling door zijn hele lichaam en hij wreef stevig over zijn armen.

Ze was gestoord. Die vrouw was compleet gestoord.

Zou het waar zijn dat ze meerdere keren bij hun huis was geweest en dat Matías haar niet had binnengelaten? Waarom niet?

Tenzij zijn vader Matías had geïnstrueerd dat een buitenlandse, genaamd Laura Niedermayer, niet binnen mocht komen en dat hij brieven met die afzender gericht aan een van de twee mannen des huizes moest laten verdwijnen van het blad bij de entree. Maar zijn moeder dan? Was het mogelijk dat zijn moeder van de situatie op de hoogte was geweest en dat heel die komedie alleen maar ter wille van hem was opgevoerd, zodat hij niet te weten zou komen waartoe zijn vader in staat was geweest? Wat zouden ze nog meer voor hem verborgen hebben? Wat wilde zijn vader vergeten van zijn jaren in Argentinië?

Al om kwart over zeven was hij in het ziekenhuis en staarde naar het grijsgroene gelaat van de man van wie hij altijd had geloofd dat hij hem kende, maar het was als kijken naar een mummie in de hoop dat hij het geheim van zijn dood zou onthullen.

'Praat maar tegen hem als u wilt,' zei een verpleegster vanuit de deuropening. 'Men zegt dat het een positieve invloed kan hebben als ze een bekende stem horen.'

'Papa,' begon hij heel zacht, 'hoor je me, papa? Ik ben

hier. Ik wil met je praten. We hebben elkaar veel te vertellen. We moeten praten, papa.' Zijn stem brak en de tranen sprongen hem in de ogen. Hij draaide zich om en verliet de kamer. Hij nam de lift naar de begane grond en haastte zich naar buiten, alsof hij wegvluchtte van een gevaar.

Het was nog geen acht uur, maar toch belde hij Margit, want hij wist dat ze vertaalster was en thuis werkte, en ook omdat ze had gezegd dat hij haar altijd kon bellen als hij behoefte had met iemand te praten. Bovendien was het zaterdag en misschien had ze zichzelf een pauze gegund.

Met een slaperige stem nam ze op en ze nodigde hem uit samen te ontbijten in een café in de buurt van de kliniek.

Ze was in het paars gekleed, net als de dag ervoor, en had een arafatsjaal om haar hals geslagen, die ze afdeed zodra ze binnenkwam.

'Vertel me alles wat je over mijn vader weet,' zei hij toen de koffie met taart was gebracht.

Margit glimlachte flauwtjes, ze spande haar lippen zonder haar tanden te ontbloten. Ze had een dikke laag make-up op om een onbestaand bruin te simuleren en haar ogen waren zwaar met zwarte lijnen aangezet. Bij daglicht leek ze enigszins ordinair, iets wat hem de avond ervoor niet was opgevallen.

'Ik weet niets, Miguel. In de loop der jaren heb ik wel eens wat opgevangen. Anna was liever doodgegaan dan dat ze iets slechts over Rafael zei; voor haar was hij een god, het geweldigste wat haar was overkomen. Maar soms, wanneer ze boos was op Laura, of wanneer ze ergens heel verdrietig om was, mompelde ze dingen als dat je vader gewend was aan wreedheden, dat hij alles wist van martelpraktijken en vernederingen, dat hij opdrachten voor enkele Latijns-Amerikaanse regeringen had gedaan. Soms, wanneer ze een glaasje te veel op had, lachte ze tot tranen toe wanneer ze zich Rafael voorstelde in de Madrileense hoge kringen, ook al werden die destijds grotendeels gevormd door armzalige franquisten die even wreed waren als hijzelf kon zijn. Wees niet gekwetst, Miguel. Dit heeft zij niet gezegd, dat doe ik, die hem nooit heeft gekend. Maar ik heb een hekel aan hem gekregen vanwege het leed dat hij ze heeft aangedaan, begrijp je? Omdat hij het leven van twee goede vrouwen heeft verwoest.'

'Denk je dat mijn vader voor de Argentijnse geheime dienst heeft gewerkt?'

Margit haalde haar schouders op. 'Ik weet het niet. Het zou ook kunnen dat Anna voor zichzelf een verhaaltje heeft verzonnen om zo het feit dat hij haar verlaten had te verklaren. Heb jij nooit iets gemerkt?'

Miguel schudde langzaam zijn hoofd. 'Ik weet niet beter dan dat mijn vader in de bouwbranche zat. Hij begon met een startkapitaal van mijn opa van moederskant en daarna werd hij onafhankelijk en verdiende heel veel geld. Hij had vrienden in regeringskringen, in het diplomatenmilieu, allerhande contacten. Mijn ouders hadden een druk sociaal leven, maar ik vond het altijd normaal, want dat was mijn leven, begrijp je? Ik heb niet anders gekend. Toen hij me vertelde dat hij als gastdocent aan een universiteit had gewerkt, dacht ik eerst dat het een grapje was.'

'Het kan ook een manier zijn geweest om een paar jaar te verdwijnen en daarna in Spanje opnieuw te beginnen.'

Miguel steunde met zijn hoofd op zijn handen en staarde naar de kop koffie die hij nauwelijks had aangeraakt.

'Mag ik bij jou thuis hun spulletjes bekijken? Als Anna alles van die periode bewaarde, is er misschien iets bij wat me verder helpt.'

'Waarom zou je daarvoor naar mijn huis willen?'

'Je zei toch dat jij daar woont, in de flat van Anna en Laura?'

'Niet meer. Ik woonde er, met Laura, na de dood van haar moeder. Vervolgens, toen Laura... nou ja, toen ik alleen overbleef, hield ik het daar nog een paar dagen uit en toen ben ik zolang bij een vriendin ingetrokken, tot ik iets voor mezelf gevonden heb.'

'Wie woont daar nu dan?'

'Niemand. Alles is nog zoals het was. Ik weet ook niet wie de flat erft, want als Laura geen testament ten gunste van iemand heeft laten opmaken, van mij bijvoorbeeld, is er geen familie meer. Tenzij jij hem erft, natuurlijk.'

'Ik?'

'Jij bent haar halfbroer.'

'Maar als mijn vader haar nooit heeft erkend, valt dat niet te bewijzen.'

'Bovendien maakt het jou toch niet uit. Jij bent rijk.'

Er viel een ongemakkelijke stilte die Miguel probeerde te vullen door een hap van zijn frambozentaart te nemen. Hij was altijd rijk geweest, maar dat waren zijn vrienden ook. Hij was er niet aan gewend het op die verbitterde toon te horen zeggen, als een verwijt voor iets waar hij niets aan kon doen.

'Wil je de woning zien?' vroeg Margit.

'Als het zou kunnen.'

'Je kunt er zelfs intrekken zolang je in Innsbruck moet blijven. Het is altijd beter dan een hotel en de flat ligt op een steenworp afstand van de kliniek.'

'Ik weet het niet.'

'Laura zou het leuk hebben gevonden. Ze heeft er zo vaak van gedroomd dat je haar op een dag zou komen opzoeken!' Er viel opnieuw een zware stilte, geladen met uit te spreken woorden. 'Zullen we er nu heen gaan?'

Ze liepen door de Speckbacherstraße tussen negentiende-eeuwse gebouwen die grijs, lichtblauw, bloedrood en bruin geschilderd waren, sloegen linksaf de Haspingerstraße in en gingen een oud maar lelijk gebouw binnen, met een stenen trap en een zwartijzeren balustrade.

'Het is de bovenste flat, er is geen lift,' zei Margit terwijl ze de trappen op begon te klimmen. 'Maar hij ligt op de hoek en Laura's kamer is behoorlijk licht, je ziet het zo wel.'

De oude houten voordeur was laag over laag bruin geschilderd. De sleutel was enorm, alsof hij uit een museum kwam.

'We wilden het slot laten vervangen, maar het is er nooit van gekomen. Nu maakt het niet meer uit.'

Het was donker in huis. Vanaf de ingang – console met spiegel, onherkenbare foto's, zwarte kapstok – liep een lange gang naar achteren. Margit deed het licht aan en een paar lampen creëerden een trieste schemer.

'Na Anna's overlijden wilden we alles renoveren, want toen ze nog leefde mocht er absoluut niets gebeuren. Alles is nog precies zoals het was toen Rafael vertrok. Laura wilde nog even wachten met besluiten wat kon worden weggedaan; ze vond het verraad aan haar moeder als ze de boel te snel zou veranderen. Ik geloof dat het een vergissing was om weg te gaan uit onze flat en hierin te trekken. Maar deze woning kostte ons niets. Ik weet het niet, maar volgens mij droeg het bij aan haar depressie. Het is hier eerlijk gezegd ook niet echt opbeurend.'

'Ben je daarom verhuisd?'

Margit wachtte even voor ze antwoord gaf terwijl ze door de gang liep. 'Ja. Mede daarom.'

Miguel bedacht dat het niet echt prettig voor haar moest zijn om in een huis vol herinneringen aan twee onlangs gestorven vrouwen te wonen en vroeg niet verder.

'De keuken.' Ze deed de luiken open en het daglicht stroomde het kleine vertrek binnen. 'Hij kijkt uit op de grote binnenplaats van het huizenblok, kijk maar.' Verscheidene bomen met gele bladeren glinsterden op het gras, dat stilaan zijn groen verloor. Er was ook een zandbak met een glijbaan en een schommel, en verder een paar lange lijnen om de was op te hangen. 'De kastjes zijn afgrijselijk, hè?'

Dat waren ze inderdaad. Mosterdgeel formica op groenige tegeltjes.

'Hiertegenover is de badkamer. Die is evenmin fraai, maar alles werkt.'

Van de woonkamer, aan het einde van de gang, met een erker aan de straatkant, kwam je bij de twee slaapkamers, maar ze hielden er even stil zodat Margit ook daar de luiken kon opendoen en het licht kon binnenstromen.

Miguel voelde zich overgeplaatst naar een andere tijd, alsof hij het decor van een studentenflat uit de jaren zestig, zeventig was binnengetreden: met punaises vastgeprikte posters aan de wanden, een boekenkast van stenen en planken met romans in goedkope edities, een ronde tafel met een Indiaas tafelkleed en vier rieten stoelen, een gammele lage bank bezaaid met bonte kussentjes, overal kaarsen en olielampjes, een van restjes wol gemaakt vloerkleed, gordijnen van glazen of plastic kralen die kleurig in de kamer opflikkerden, een dressoir met spiegel uit het jaar nul, overladen met ingelijste foto's. Hij liep ernaartoe om ze te bekijken.

Hij had nog nooit zo veel foto's van zijn vader gezien als daar op dat huisaltaar. Voor de grootste ervan, in een zilveren lijst, stond een glazen waxinelichtje in de vorm van een lotusbloem dat nog een kaarsje met een zwart geworden pit bevatte.

'Wanneer ze 's middags thuiskwam, stak Anna het kaarsje aan. Als groet aan Rafael. Laura had niet de moed het weg te halen, maar ze stak het tenminste niet aan.'

Hij had het gevoel dat de koffie die hij zonet had gedronken er weer uit zou komen en liep ervan weg, naar de ramen die uitkeken op een straat waar het gewone leven zijn gang ging.

'Hoe hebben ze al die jaren zo kunnen leven?' zei hij halfluid, met zijn rug naar Margit toe.

Ze gaf geen antwoord en daardoor was hij genoodzaakt zich om te draaien.

'Kijk, dit was vroeger Laura's kamer, waar ik later introk. Zij nam toen de kamer van haar ouders. Van haar moeder,' verbeterde ze zichzelf. 'Alles van Anna bevindt zich in de wandkast, aan de rechterkant. Het resterende deel had ik in gebruik.'

Het was een vrij neutrale kamer, met een paars opgemaakte twijfelaar, een rotan tafeltje, een werktafel met boekenplanken naast het raam en lila gordijnen.

'Mijn spulletjes staan hier niet meer. Daarom ziet het er zo kaal uit.'

De witte wanden zaten vol contouren waar jarenlang foto's of schilderijen hadden gehangen.

'En dit is Laura's kamer. Alles is nog zoals zij het heeft achtergelaten.'

Een grote kamer, met een flink beschadigde honingkleurige parketvloer, hoge plafonds zoals in de hele woning, wanden die volhingen met fantasy-illustraties – strijdende prinsessen, heksen, draken, helden met een bebloed zwaard – vakantiefoto's, theater-, film- en concertaankondigingen. Een inbouwkast die de hele wand besloeg. Een heel groot en heel laag bed waarover een witte sprei lag, twee hoge boekenkasten die uitpuilden met boeken, een ronde tafel in de erker met daarop een oude zware computer omgeven door papieren.

Als vanzelf kwam de gedachte bij hem op dat Laura aan die tafel de vreselijke brief had geschreven die hij de avond ervoor had gelezen, in feite pas een paar uur geleden.

Margit overhandigde hem de sleutel. 'Doe alsof je thuis

bent. Kijk op je gemak rond en bel me als je daar zin in hebt. Ik moet aan het werk.'

Voor hij het goed en wel in de gaten had, had hij de sleutel al aangepakt en was Margit in de gang verdwenen.

De zon zakte al weg toen hij de woning verliet. Dat, het donker worden, had hem dan ook aangespoord daar weg te gaan en op straat de aanwezigheid van mensen weer op te zoeken, het alledaagse, de etalages, het leven. Dat huis was een mausoleum, een soort vervallen tempel gewijd aan een afwezige god, vereerd door een stel gestoorde priesteressen.

Opnieuw liep er een koude rilling over zijn rug bij de herinnering aan de kast waarin Anna's kleding nog lag en hing: behalve gewone, relatief moderne spullen, al waren ze van bedenkelijke smaak, bevatte hij ook kleren die in haar jonge jaren, zo'n veertig jaar geleden, in de mode moesten zijn geweest, en het ergste was de ouderwetse herenkleding vol mottenballen die alleen maar van zijn vader kon zijn, want volgens Margit was er nooit een andere man in haar leven geweest.

Bijna met weerzin had hij met zijn hand over het colbert van grof ribfluweel gestreken, over de lelijke versleten spijkerbroeken, over het polyester pak met het witte nylon overhemd, over de Indiase hemden, de psychedelische T-shirts en een afschuwelijke lammy waarvan hij gewoon weigerde te geloven dat die ooit aan zijn vader had toebehoord. Toch had hij de zakken moeten doorzoeken om te kijken of er iets inzat wat antwoord gaf op een van zijn vele vragen. Dat was uiteraard niet het geval.

Wat hij wel had gevonden was een schrift van Laura waarin ze af en toe aantekeningen had gemaakt, ongeordend en ongedateerd, geschreven in verschillende kleuren: soms waren het citaten uit een gedicht, of fragmenten van een liedje, of persoonlijke opmerkingen. Hij had er bijna twee uur in liggen lezen, op de bank in de woonkamer, met op de achtergrond de klingelende kleurige kralen van het gordijn die door het briesje tegen elkaar botsten.

Nu mama gestorven is – schreef ze in haar laatste opmerking – *is er niemand van mijn eigen bloed over die bloemen op de plek van mijn dood kan leggen. Mijn geest zal verdwalen en eeuwig ronddolen op zoek naar de liefde die ik nooit heb gehad. Het is triest zonder vader, zonder broer, zonder kind te hebben geleefd. Nu zij er niet meer is, heb ik niemand meer om voor te leven.*

Het was niet vreemd dat de politie aan zelfdoding had gedacht. Als ze haar kamer hadden doorzocht, moesten ze hetzelfde hebben gelezen als hij. Hij kon het Margit vragen, maar wilde haar niet twee keer op dezelfde dag bellen, hij wilde niet eveneens geobsedeerd raken door een onmogelijkheid.

De avond viel en de straten in de wijk waren bijna verlaten, maar zijn onrust ebde weg toen hij zich realiseerde dat hij op een zaterdag, vroeg op de avond, in de universiteitswijk liep; iedereen zou thuis zijn, zich klaarmaken om uit te gaan of inmiddels bij de bars, theaters of concerten arriveren. Hij bedacht opeens dat hij niet ver bij de kliniek vandaan was en besloot even bij zijn vader langs te gaan, ook al was het geen bezoekuur.

Alles was nog hetzelfde.

Hoezeer hij ook zijn best deed zichzelf ervan te overtuigen dat er nog hoop was, die illusie verdween zodra hij weer in die kamer was en naar zijn vader keek. Zonder de apparaten om hem heen zou zijn vader al dood zijn. En misschien was het wel beter om zich hem te herinneren zoals hij was, zoals hij in zijn ogen was geweest: een actieve en goedlachse vader, vol energie en plannen, altijd omgeven door mensen, hard wat werk betrof, innemend tegenover vrouwen en kinderen, een goede onderhandelaar.

In gedachten verzonken at hij lusteloos iets in een pizzeria waar hij onderweg langskwam en wandelde terug naar het hotel, waarbij het idee weer een warme, slapeloze nacht in die kamer te moeten doorbrengen hem tegenstond. Hij bleef staan voor de etalage van een boekhandel met hoge zwarte boekenkasten, die dusdanig verlicht waren dat de boeken glansden als schatten in een tovergrot. Hij had niets meegenomen om te lezen en tv-kijken had weinig zin.

Hij ging naar zijn kamer, stopte zijn pyjama en toilettas in zijn reiskoffertje en liep weer naar buiten. Tien minuten later en nauwelijks nat geworden door de regen die zachtjes op de stad was gaan vallen, stond hij voor Anna's boekenkast een boek uit te zoeken om mee naar bed te nemen. Met een oude verhalenbundel van Cortázar installeerde hij zich in Laura's bed, waar gelukkig lakens en geen dekbed op lagen, sloot zijn ogen en stelde zich voor hoe het zou zijn om daar met haar te zijn, misschien over boeken pratend, over het verleden dat voor beiden zo anders was. Ineens bedacht hij dat hij de lakens niet had verwisseld, maar ze waren brandschoon, roken zelfs nog vaag naar waspoeder, dus schikte hij de kussens en sloeg het boek open dat hij zich amper kon herinneren van zijn jaren op de universiteit. Hij had het derde verhaal nog niet uit toen hij, al wegzakkend in een prettig slaperige roes, opschrok van het geluid van zijn mobieltje. Hij nam op toen het voor de tweede keer overging.

'Heb je je in de flat geïnstalleerd?' vroeg Margit.

'Min of meer. Het hotel benauwde me en ik besloot het hier een nacht te proberen.'

'Lig je al in bed?'

Hij wist niet of het een bedekte uitnodiging was om samen iets te gaan doen, maar de vermoeidheid van de nacht ervoor deed zich gelden en het was heel aangenaam daar te liggen, alleen.

'Eerlijk gezegd wel. Afgelopen nacht heb ik praktisch niet geslapen.'

'Dan bel ik je morgen. Overdag moet ik een klus afmaken, maar als je zin hebt kunnen we 's avonds samen wat gaan eten of drinken.'

'Prima.'

'Tot morgen dan.'

Hij deed de lamp op het nachtkastje uit, draaide zich om en gekoesterd door de regen viel hij vrijwel onmiddellijk in slaap.

Op een gegeven moment in de nacht werd hij wakker van een geluid dat hij niet meteen kon thuisbrengen omdat het vermengd werd met beelden uit zijn droom. Hij was ergens en iets, aan de andere kant van de deur, klopte op het hout om binnengelaten te worden. Hij schrok van zijn eigen formulering en voelde dat zijn hart begon te bonzen. *Iets* wilde binnenkomen? Niet *iemand*? Hij schoot overeind, spitste zijn oren.

Het was volkomen stil in de woning. Alleen het monotone geluid van de gestaag vallende regen was te horen. Langzaam ebde zijn spanning weg en hij wilde net weer onder de lakens kruipen toen hij het geloei van een autoalarm hoorde. Hij liep naar het raam en keek naar buiten. Bij de enige lantaarn die vanaf daar te zien was, stond een vrouw onder een paraplu, een blonde vrouw, met laarzen en een regenjas aan; ze stond daar gewoon en keek in zijn richting, alsof ze ondanks de duisternis in de kamer wist dat hij haar vanachter de ruiten gadesloeg.

Wat moest een vrouw alleen daar, op dat tijdstip en in de regen? Hoe laat was het eigenlijk?

Met twee stappen was hij bij het bed en wierp een blik op zijn horloge: tien voor halfvier. Toen hij weer bij het raam kwam, was de vrouw verdwenen. Een serveerster wier dienst om drie uur afgelopen was en die op de hoek stond te wachten tot haar vriend haar kwam halen?

Hij ging weer in bed liggen, onrustig. Het was toeval geweest, stom toeval. Iemand was zijn sleutels vergeten en had bij de buren aangeklopt om binnengelaten te worden, daarvan was hij wakker geworden, en dat was samengevallen met het autoalarm en de onbekende wachtende vrouw. Innsbruck moest vergeven zijn van blonde vrouwen.

Ondanks de regen die onverstoorbaar bleef vallen, besteedde hij de zondag aan het bezoeken van de belangrijkste monumenten van de stad: het keizerlijk paleis Hofburg, de Hofkirche, ook wel Schwarzmanderkirche genoemd, de kathedraal, het grote panoramaschilderij Riesenrundgemälde, kortom, bijna alles wat in de gids stond die ze hem in het hotel hadden geleend waar hij halverwege de ochtend naartoe was gegaan om zich te douchen, want als hij dat in Laura's woning gedaan zou hebben, had hij de badkamer ook weer moeten schoonmaken. Hij had geluncht in een restaurant dat hem was aanbevolen, in de glazen toren die het nieuwe raadhuis tooide, maar hoewel het uitzicht ondanks de regen en de grijze lucht fantastisch was, vond hij het etablissement even snobistisch als provinciaals.

Tijdens zijn bezoek aan de kliniek had Margit hem gebeld om te zeggen dat ze de vertaling nog niet af had en dat ze na het avondeten bij hem in de flat langs zou komen om een glaasje te drinken, waardoor hij zich gedwongen zag zelf weer een plek te zoeken waar hij wat kon eten, dus keerde hij maar terug naar het hotel, installeerde zich met een Engelse krant in de bar, bestelde soep en een hamtosti en ging toen naar Laura's woning om op haar vriendin te wachten.

De klop op de deur bracht zijn nachtelijke onrust terug en de gang, met het flauwe, gelige licht, leek hem langer dan overdag.

'Sorry, Miguel, maar de bel doet het niet en ik wilde de sleutel niet gebruiken. Per slot van rekening woon jij hier nu. Je kunt je niet voorstellen hoe fijn ze dat zouden hebben gevonden!'

Hij had geen zin over die vrouwen te praten, maar kreeg de indruk dat het voor Margit het enige was wat telde.

'Ik heb wijn meegebracht. Ik hoop maar dat je van rood houdt. Als jij de glazen uit het dressoir pakt, haal ik de kurkentrekker, goed?'

Gehoorzaam ging hij naar de woonkamer en pakte twee gladde kristallen glazen die hij op het tafeltje in de erker neerzette. Margit stak een paar kaarsen aan, schonk de wijn in, nam haar glas en maakte het zich gemakkelijk tussen de kussentjes op de vloer.

'Anna zat altijd zo, zelfs toen ze oud werd. Het is een van de dingen die de meeste indruk op me maakten toen ik haar leerde kennen. Bij mij thuis zouden ze hebben gezegd dat alleen katten een plekje op de vloer zoeken.'

Miguel ging met gekruiste benen tegenover haar zitten, glimlachte en ze proostten.

'Kijk nou hoe stom ik ben,' zei Margit opeens. 'Ik slik nog antibiotica en mag daarom geen alcohol. Net nu ik zin heb in een glas wijn; ik ben al vanaf acht uur vanochtend aan het werk.'

'Ben je ziek?'

'Niet meer. Een gewone blaasontsteking, maar ik moet de kuur afmaken, je kent het wel.' Ze stond op. 'Ik ga even kijken of hier nog iets zonder alcohol staat.'

Miguel hoorde haar in de keuken rommelen en even had hij de gewaarwording dat hij in verbinding stond met zijn vader op diens veertigste. Het moest goed hebben gevoeld zich te laten meevoeren zoals hij nu, te genieten van de liefde, de aanbidding van een gewoon en ongecompliceerd meisje, te leven te midden van studenten, feesten, bergwandelingen... wat colleges te geven, gitaar te spelen, rode wijn te drinken... en dat alles in de tijd van de vrijheid, van de kracht van de verbeelding, van de *flower children*...

'Waar denk je aan?' Margit had zich weer als een kat opgekruld tussen de kussens.

'Niets. Ik voel me prettig. De wijn is lekker.'

Plotseling verstijfde Margit, ze keek strak naar de lange schemerige gang en hield haar hoofd scheef, alsof ze iets probeerde te horen wat hem ontging.

'Wat is er?' vroeg hij fluisterend.

'Niets. Het is niets. Ik meende het slot te horen en... iets als slepende voetstappen. Maar deze flats zijn heel gehorig. Het zal wel bij de buren zijn.'

Miguel dronk zijn glas leeg en vulde het weer. 'Ik heb niets gehoord.'

'Beter zo. Dan slaap je rustiger. Als je niet te veel hoort, bedoel ik,' voegde ze eraan toe.

Hij stond op het punt haar over het geklop op de deur

van de afgelopen nacht te vertellen, maar bedacht zich omdat hij niets wilde zeggen over de blonde vrouw onder de lantaarn.

Gedurende bijna twee uur praatten ze over zichzelf, over hun werk, over wat ze leuk vonden, over hun vakanties en toekomstplannen. Margit dronk ananassap en hij genoot van de Valpolicella. Voor het eerst sinds hij in Innsbruck was voelde hij zich ontspannen.

Toen Margit opstond om weg te gaan, protesteerde hij zwakjes.

'Het is al heel laat en morgen is het maandag.'

'Zien we elkaar morgen? Wanneer ben je klaar met je werk?'

'Morgen kan ik niet, Miguel. Ik heb om acht uur een bijeenkomst en je weet van tevoren nooit hoe laat die afgelopen zijn.'

'Overmorgen?'

Ze glimlachte. In het rozige licht van de kamer leek ze jonger en knapper.

'Goed. En je hebt mijn nummer. Bel me als je me nodig hebt.'

Hij ging bij het raam staan om haar te zien vertrekken en volgde haar met zijn blik terwijl ze de straat overstak, langs de lantaarn liep en verdween. De blonde vrouw was er niet.

Hij ging terug naar de woonkamer en schonk nog een glas wijn in om mee te nemen naar bed, samen met het boek van Cortázar, maar de slaap overmande hem meteen en hij strekte zich behaaglijk tussen de lakens uit.

Vluchtig bedacht hij dat hij van plan was geweest om de wekker op kwart over drie te zetten om te zien of de mysterieuze vrouw weer verscheen, maar hij was er te loom voor.

In zijn slaap fluisterde iemand herhaaldelijk zijn naam: 'Miguel, Miguel,' en vervolgens heel zacht in het Duits: 'Michael, Michael, *kleiner Bruder, Bruderherz*.' Hij wilde wakker worden, maar zijn oogleden voelden heel zwaar, alsof ze van lood waren, en hij slaagde er niet in meer dan een glimp van zijn omgeving te ontwaren voor ze weer dichtvielen. Hij baadde in het zweet; het laken plakte aan zijn lichaam als een inktvis die hem met zijn omarming wilde wurgen. Hij hoorde slepende voetstappen in zijn buurt, traag, schuifelend. Hij voelde zich loom, kwetsbaar, onbeschermd. Het was zo'n beklemmende droom waarin je denkt wakker te zijn op dezelfde plek als waar je in slaap gevallen bent.

Iets streek over zijn voorhoofd, een sjaal misschien, een haarlok. Trillend van inspanning lukte het hem zijn oogleden even te openen: het silhouet van een vrouw met lang haar tekende zich af tegen het raam.

Vechtend tegen de slaap probeerde hij overeind te komen, het licht aan te doen dat het visioen zou verdrijven of scherper maken, maar zijn lichaam was slap, als van rubber, en het volgde de bevelen van zijn hersenen niet op.

Toen hij er eindelijk, seconden of uren later, in slaagde

uit die poel waarin hij stikte te komen, was hij alleen in de kamer en had de hemel een vage, kilgrijze kleur.

Hij stond wankelend op, liep naar de badkamer om water in zijn gezicht te gooien en ging terug naar de slaapkamer. De wijn moest koppiger zijn dan hij had gedacht, want hij had amper een halve fles gedronken en toch voelde hij zich lamlendig, alsof hij stomdronken was geweest.

De droom doemde weer in zijn geest op, maar hij herinnerde zich die niet als een droom maar als een werkelijkheid. Hij wist dat het onmogelijk was, en toch had hij de indruk dat er werkelijk iemand was geweest, naast zijn bed, iemand die een vage geur had achtergelaten die hij nog in de lucht meende te bespeuren.

Hij liep naar het raam en toen hij langs de tafel kwam, viel zijn blik op het schrift dat opengeslagen naast de computer lag. Hij had het de dag ervoor dichtgedaan voordat hij tegen de avond de woning verliet. Dat wist hij absoluut zeker.

Hij boog zich over de bladzijde, zonder de moed te hebben het schrift aan te raken, en las wat er stond nadat hij de bureaulamp had aangedaan. Het was in het Engels en hij kon zich niet herinneren dat hij het eerder gelezen had, al was het best mogelijk dat hij dat niet meer wist, want in haar obsessie met haar moeders dood had Laura veel over het onderwerp geesten geschreven.

Spoken zijn rusteloze geesten, concretiseringen van energievelden van iets wat levend was en alleen nog de kracht van zijn obsessie bezit. Ze keren

terug om in herinnering te brengen dat er nog iets vereffend moet worden, om de levenden te smeken hun rust te gunnen. Als die rekening is vereffend, kunnen ze naar gene zijde overgaan en rusten. Het niet in spoken geloven garandeert niet dat er geen contact zal zijn aangezien ze hun eigen wetten volgen, onafhankelijk van het geloof van degene die wordt bezocht.
(Uit: *Spoken onder ons*, J.M. Hawkings, Londen 1927)

Het raam stond een stukje open, dat was de hele nacht zo geweest. Kon een windvlaag het schrift hebben opengeslagen? Nee. Dat kon niet. Dat idee accepteren was even belachelijk als accepteren dat het om een manifestatie uit het hiernamaals ging. Maar wat dan wel?

Naakt als hij was liep hij door de flat en verzekerde zich ervan dat niemand zich daar verscholen hield, als een klein kind dat onder zijn bed kijkt voor hij erin gaat liggen, heel goed wetend dat dat de nachtelijke angst niet zal verjagen. Uiteraard was hij alleen, en op het schrift na bevond alles zich op dezelfde plek en in dezelfde toestand als toen hij was gaan slapen.

Hij kleedde zich snel aan en ging naar de kliniek om zich ervan te vergewissen dat ze zijn mobiele nummer hadden, want hij had besloten dat hij zo niet kon doorgaan: vegeterend in die flat die hem sinister begon voor te komen, halsreikend uitziend naar de paar uurtjes die Margit van haar werk kon vrijmaken. Hij zou een auto huren en een paar bezienswaardigheden in de omgeving bezoeken, zoals ze had geopperd; dat zou zijn hoofd bezighouden en misschien kon hij het voorgevallene dan wat afstandelijker bekijken.

Terwijl hij onderweg was naar een van de best geconserveerde renaissancistische kastelen, Tratzberg, dat hem was aanbevolen door de vvv, spookten de woorden van de arts door zijn hoofd: 'Hij is erg verzwakt, meneer Santisteban, er is weinig hoop op herstel; eerlijk gezegd kunnen we niet veel meer voor hem doen.'

Het landschap was schitterend: de bomen glinsterden als vlammen op het nog groene gras, de herfstkleuren – oker, geel, rood, feloranje – fonkelden om hem heen en de hemel was glanzend blauw, zonder ook maar een wolkje dat zijn heraldieke perfectie versluierde; de regen van de afgelopen dagen had de bergtoppen voorzien van een dunne sneeuwlaag en het effect was zo mooi dat het bijna onecht leek, als geschilderd. Zijn vader lag in een kliniek te zieltogen en de aarde ontvouwde al zijn schoonheid voor hij zou verzinken in de winter.

Hij zou het leuk hebben gevonden als Margit bij hem was geweest. Praten hielp, misschien niet om te begrijpen, maar wel om zijn twijfels te uiten zodat ze hem vanbinnen niet zouden verteren. Waarom had zijn vader, na al die jaren van zelfverkozen vergetelheid, hierheen moeten gaan om met dat perverse verleden geconfronteerd te worden? Was zijn geweten, dat al die tijd geslapen had, gaan opspelen? De wens zich, nu zijn einde naderde, te verzoenen met de god waarin hij nooit geloofd had? Hij zou het nooit meer te weten komen.

Op het werk hadden ze zich begripvol getoond en tegen hem gezegd dat hij gerust twee weken vakantie kon opnemen, dat zou wel voldoende zijn, meenden ze. Dat verwachtte hijzelf ook. Hij voelde zich volstrekt nutteloos daar tussen de bergen, dag na dag een bezoek brengend aan het omhulsel waarin zijn vader had geleefd en dat nu niet meer was dan dat, een lichaam zonder ziel, en sinds Margits onthullingen bijna een vreemde voor hem, wat hem vervulde met woede en onmacht. Hij wilde het zuivere beeld van zijn vader niet kwijtraken om het te verruilen voor datgene wat zijn verstand hem influisterde, voor die wrede, opportunistische en misschien zelfs misdadige man, zoals uit de halve woorden die hij maar niet uit zijn hoofd kreeg viel af te leiden.

En Laura was er. De herinnering aan Laura. Haar geest.

Hij schrok van zijn eigen formulering: 'geest'. Hij had nooit in manifestaties van gene zijde geloofd, en toch... toch was er nu iets onheilspellends in zijn omgeving, iets verontrustends en onbekends waarvoor hij geen ander woord kende, alleen dat. Laura mocht dan gestorven zijn, haar obsessie leefde voort en belaagde hem.

's Avonds na het uitstapje besloot hij in het hotel te gaan slapen en die nacht sliep hij ongestoord.

Toen hij wakker werd, stortregende het en moest hij snel zijn bed uit om het raam dicht te doen, want de vloerbedekking in de kamer begon al nat te worden van het water dat vanuit het noorden tegen de ruiten sloeg. Dat herinnerde hem aan het raam in Laura's slaapkamer; hij had het de vorige dag open laten staan en het lag ook op het noorden. Als hij zich niet haastte, zou het daar een waterballet zijn.

Vloekend kleedde hij zich snel aan en zonder zich tijd voor een ontbijt te gunnen nam hij een taxi naar de Haspingerstraße, vloog de trappen naar de vierde verdieping op en rende door de gang, in de hoop een overstroming te kunnen voorkomen.

Toen hij de kamerdeur opendeed, bleef hij als aan de grond genageld staan en voelde zijn maag samentrekken alsof er een ijzeren vuist in was beland: het grootste deel van de boeken stond niet meer in de kast maar was op de grond gesmeten, vele ervan open, alsof een cycloon over de pagina's was geraasd; de papieren op Laura's tafel waren alle kanten op gevlogen en als een witzwarte sneeuwlaag op het bed neergedaald; de posters hingen half losgerukt aan de wanden en de vloer was bezaaid met scherven van stukgevallen vaasjes, waxinelichtjes en souvenirtjes die voorheen de tafel en de boekenkasten hadden gesierd. De spiegel van de kaptafel was aan gruzelementen. Kleine stukjes glas flonkerden in het licht van de lamp, die blijkbaar als enige heel gebleven was tijdens die totale verwoesting.

Toen Margit een halfuur later arriveerde en de deur van de kamer dichtdeed, stond Miguel nog steeds onbeheerst te trillen.

'Laten we een kop koffie gaan drinken,' stelde ze voor. 'We ruimen de boel straks wel op.'

'Wat gebeurt er allemaal, Margit?' Miguel was bleek en hij moest zijn kopje met twee handen vasthouden.

Ze schudde haar hoofd.

'Zijn we soms gek aan het worden?' drong hij aan.

'Gek, wij? Vind je het niet werkelijk genoeg wat we daarnet hebben gezien? Of geloof je dat het een gedeelde hallucinatie is?'

'Gisteren,' begon Miguel, 'nee, eergisteren, 's nachts, nadat je was weggegaan...' Hij wist niet hoe hij het moest vertellen en zweeg.

'Wat?' spoorde ze hem aan.

'Het was net of ik een aanwezigheid zag, of nee, voelde, inderdaad, voelde misschien, in mijn slaapkamer, in Laura's kamer. Ik meende een vrouw te zien die me gadesloeg. Ze had lang haar. Waarom zeg je niets?'

Margit zat naar de bodem van haar kopje te staren en keek nu pas langzaam op, zocht Miguels ogen.

'Om die reden ben ik weggegaan uit de flat. Maar ik

dacht dat mijn verbeelding me parten speelde. Daarom leek het me een goed idee dat jij erin trok, om te zien of jij iets merkte. Sorry. Ik had het je moeten vertellen, maar ik wilde je niet beïnvloeden. Bovendien zou je me toch niet hebben geloofd.'

'Heb jij haar ook gezien?'

Ze bogen zich allebei over de tafel heen, alsof ze de nabijheid van de ander zochten, en praatten steeds zachter.

'Ja, meerdere keren, maar in het begin dacht ik dat het dromen waren. Later, laatst... toen we thuis samen wat dronken, meende ik voetstappen bij de voordeur te horen, of in de gang, ik weet het niet, en ik schrok, maar ik wilde het je niet laten merken.'

'Nu je het zegt weet ik het weer. Je zei toen dat de flats gehorig zijn.'

Margit beet op haar onderlip. 'Dat is niet zo. Die oude flats hebben heel dikke muren; je hoort nooit iets.'

Er viel een lange stilte. De regen viel gestaag en beiden waren in gedachten verzonken.

'Ik heb nooit in spoken geloofd,' zei Miguel, bijna tegen zichzelf.

'Ik ook niet.'

'Wat wil ze van ons?' In Miguels stem klonk ergernis en angst door.

'Ik weet het niet. Wat ze altijd al wilde, neem ik aan: liefde, erkenning, rust.'

'Nu nog? Mijn god, Margit, ze is dood!'

Twee dames die aan het tafeltje achterin thee zaten te drinken draaiden zich om en keken naar hen; Miguel liet zijn stem zakken. 'Ze is dood. Wat kunnen we nog doen?'

'Ze is dood,' antwoordde Margit, 'maar het is duidelijk dat ze nog de kracht bezit zich op een of andere manier te manifesteren. Ze was vast gefrustreerd omdat je vannacht niet thuis bent gaan slapen. Ze wachtte al zo lang! Misschien...'

'Misschien wat? Zeg het, al lijkt het je nog zo absurd.'

'Misschien als je haar eigenhandig een brief zou schrijven waarin je vertelt dat je haar broer bent, dat je van haar houdt, dat jullie dezelfde vader hebben, dat Rafael was gekomen om haar te erkennen...'

'Kom nou, zeg... En wat doen we dan met die brief? Zetten we "Aan Laura, in de hemel" op de envelop?'

'Aan Laura Niedermayer, waar ze ook mag zijn,' corrigeerde Margit hem, volkomen serieus.

'En dan doen we hem in de brievenbus.' Miguel liet een holle lach horen, het klonk als een blaf.

'Nee. We brengen hem naar de plek waar ze zelfmoord heeft gepleegd. Met bloemen. Met een rode roos. Als zoenoffer.' Margit sprak langzaam, met pauzes tussen de zinnen, alsof ze ze uitsprak terwijl de oplossing zich in haar hoofd vormde.

'Dit is belachelijk.'

Ze zei niets. Met haar handen streek ze telkens weer het tafelkleed rond haar kopje glad.

'Geloof je echt dat het wat zal uitmaken?' vroeg Miguel ten slotte.

'Weet ik veel! Hoe kan ik dat nou weten? Ik ben net zo verloren en bang als jij! Ik durf bijna geen voet meer in dat huis te zetten, ik geef een fortuin uit aan een andere flat terwijl deze me niets kost, in elk geval tot Laura's erfenis is afgehandeld, ik slaap slecht, ik voel me schuldig en verachtelijk in de wetenschap dat ze lijdt, ook al is ze dood...'

Bruusk schoof ze haar kopje weg en legde snikkend haar hoofd op haar armen.

Zoals veel mannen kon Miguel er niet tegen een vrouw te zien huilen. Hij ging naast haar zitten en sloeg een arm om haar heen.

'Niet huilen, Margit, huil nou niet. We gaan naar de flat, ruimen hem een beetje op en ik schrijf die brief, echt waar. Baat het niet dan schaadt het ook niemand. En morgen, als het niet meer regent, breng je me erheen, je weet wel, naar de plek waar ze zichzelf van het leven heeft beroofd, en doen we wat jij wilt. Goed?'

Het duurde even voor Margit zich herstelde, maar van lieverlee bedaarde haar gesnik; ze tilde haar hoofd op, greep haar tas en verdween in het toilet.

Toen ze terugkwam, had ze haar zonnebril opgezet en haar lippen gestift.

'Laten we gaan,' zei ze gedecideerd. 'Voor sommige dingen geldt: hoe eerder hoe beter.'

Terwijl Margit Laura's kamer opruimde, zat Miguel in de woonkamer aan tafel, met een pen in zijn rechterhand en zijn linkerhand in zijn haar, en probeerde de brief te schrijven, waarbij hij zich volstrekt belachelijk voelde. Het had hem nooit moeite gekost een stuk op te stellen, maar dit was te veel voor hem; hij was niet gewend met de hand te schrijven, wist niet hoe hij een boodschap voor het hiernamaals moest formuleren, en hij schaamde zich dat hij Margit niet een handje hielp terwijl hijzelf niet meer deed dan vel na vel met mislukte pogingen verfrommelen.

'Margit,' zei hij uiteindelijk, zijn stem verheffend. 'Je moet me komen helpen; er komt gewoon niets bij me op.'

Ze verscheen in de deuropening met een stapel boeken in haar armen.

'Eens kijken. Ik zou iets schrijven als: Lieve Laura, tijdens een lang gesprek in Madrid met onze vader, Rafael Santisteban, ben ik te weten gekomen dat we broer en zus zijn. Hij was naar Innsbruck gekomen om je te leren kennen – aangezien hij al voor je geboorte was weggegaan – en je te erkennen als zijn dochter.'

'Dat is niet zeker, Margit. Hij zei tegen me dat hij Laura

wilde leren kennen om te zien of ze hem beviel.'

'Maar omdat we proberen een gestorven vrouw rust te geven, lijkt het me niet zo verstandig dat soort details te vermelden. Zij moet weten dat hij van haar hield, dat hij van plan was haar te erkennen voor hij dat ongeluk kreeg. Wat doet het ertoe of het wel of niet zo was?'

'Je hebt gelijk. Wacht even tot ik het heb opgeschreven. Ga door.'

'Onze vader ligt in de kliniek, in coma, maar ik weet van zijn plannen en ik verzeker je dat ik je nooit ben komen opzoeken omdat ik niet van je bestaan wist. Nu weet ik dat ik een zus heb...'

'Heb?' onderbrak Miguel haar. 'Moet het niet "had" zijn?'

'Nee. Waar ze ook mag zijn, ze denkt vast dat ze nog leeft.'

Miguel snoof en schreef op wat Margit daarnet had gedicteerd.

'Nu weet ik dat ik een zus heb en dat we beiden kind en erfgenaam van dezelfde vader zijn,' vervolgde Margit. 'Ik ben je komen opzoeken zodat je vrede kunt vinden en weet dat je familie hebt.'

'Vrede kunt vinden of in vrede kunt rusten?'

'"Rusten" klinkt te veel naar het kerkhof.'

'Over het kerkhof gesproken, zou het niet logischer zijn de brief op haar graf te leggen?'

'Er is geen graf. Ze wilden allebei gecremeerd worden en hun as moest verstrooid worden in de Berglsteinersee, een meer hier in de buurt waar ze graag heen gingen.'

'Heb jij dat gedaan?'

'Natuurlijk. Verder was er niemand. Ik neem je een keer mee, als je dat wilt.'

Miguel wierp een blik op de laatste zin. 'Dat je familie hebt,' las hij hardop. 'Wat nog meer?'

'Ik denk dat het zo wel voldoende is. Je zou er nog "liefs" aan toe kunnen voegen, of beter nog, "liefs van papa en mij", iets in die geest. Je tekent en klaar is Kees. Ik ga daarbinnen nog even verder terwijl jij de brief afmaakt.'

Hij was nog niet eens begonnen met overlezen toen hij Margit in de kamer ernaast een kreet hoorde slaken. Miguel was er in twee seconden en zag haar naast het bed staan, waarvan de matras een stukje was weggeschoven, terwijl ze met de handen voor haar mond geslagen naar beneden staarde.

'Wat is er, Margit?'

'Moet je dit zien,' antwoordde ze met een dun stemmetje.

Tussen de lattenbodem en de matras, die Margit blijkbaar opzij geschoven had om de spiegelscherven weg te halen, lag een nogal versleten lappenpopje. Op de plaats van het gezichtje zat het uit een oude foto geknipte gelaat van een jonge Rafael. Een zwarte knopspeld was dwars door zijn voorhoofd tot diep in de vulling gestoken.

Miguel strekte zijn hand naar de pop uit.

'Raak het niet aan!' gilde Margit. 'We weten niet wat het is.'

'Natuurlijk weten we dat,' antwoordde Miguel met een

van weerzin vertrokken gezicht. 'Het is zwarte magie. Dat zal Laura althans hebben gedacht. Wat we niet weten is of het werkt.'

Margit keek hem strak aan en zonder dat ze een woord hoefde te zeggen, besefte Miguel dat hij iets stoms had gezegd. Het kon natuurlijk toeval zijn dat zijn vader nagenoeg dood in een kliniek lag, maar het zou net zo goed kunnen dat de vloek effect had gesorteerd.

Ze sloeg haar armen om zich heen en verliet de kamer. Even later volgde hij haar.

'Wat doen we nu?' hoorde hij zichzelf als van verre vragen.

'Verbranden. Ze zeggen dat vuur alles zuivert,' antwoordde ze zonder hem aan te kijken.

'Zou dat het niet erger maken? Ik bedoel, aangenomen dat die voodoo echt werkt...'

'Neem het dan mee naar je hotel, als herinnering.'

Ondanks Margits agressieve toon vroeg Miguel relatief rustig: 'En als we alleen de speld eruit halen?'

'Ik weet het niet, Miguel. Van dat soort dingen heb ik geen verstand.'

Van het ene op het andere moment barstte hij in een onbeheerst gelach uit. 'Dit is waanzin!' riep hij uit. 'Tot voor kort was mijn leven volstrekt monotoon en nu ben ik opeens verwikkeld in zwarte-magiepraktijken! Ik word nog eens echt gek!'

Margit trok aan zijn arm. 'Laten we hier weggaan, Miguel! Laten we gaan! Ik ben bang. Ruik je haar parfum niet?'

Hij schudde zijn hoofd een paar keer, terwijl hij zijn neusgaten opensperde om de geur waar Margit het over had op te vangen. Het was waar. Er zweefde iets in de lucht.

Ze haastten zich door de gang, maar opeens draaide hij zich om. 'Het popje! We moeten het meenemen.'

'Nee! Laten we gaan!'

'Het is zo gepakt.'

Met het popje in zijn hand geklemd keerde hij op een drafje terug, waarop ze de deur achter zich op slot deden en de sleutel twee keer omdraaiden.

Terwijl hij in de kliniek naar zijn vaders gezicht keek, dat almaar strakker en grauwer werd, beroerde Miguel met zijn vingertoppen het macabere popje in de zak van zijn jasje en vroeg zich af wat hij moest doen. Hij had nooit in dergelijke bezweringen geloofd, maar hij kon een huivering niet onderdrukken wanneer zijn tastende vingers op het kopje van de speld stuitten die dwars door de foto was geprikt. Wat had Laura willen bereiken? Hem zo veel mogelijk kwaad berokkenen voor ze zelfmoord pleegde? Hem met zich meenemen in de dood, omdat ze hem bij leven niet voor zich had kunnen winnen? En waarom nu? Net nu zijn vader na al die jaren van stilte besloten had contact met haar op te nemen? Uiteraard had Laura dat niet kunnen weten. Het was een van die ongelukkige toevalligheden geweest waar het leven vol van is: net toen Rafael de reis aan het voorbereiden was die hem naar Innsbruck zou voeren, was Laura het vergeefse wachten moe geworden. Maar als ze al dood was toen zijn vader in Hotel Central aankwam, waar was hij dan zo gehaast heen gegaan op de avond dat hij werd aangereden? Met wie had hij afgesproken? Zou hij een privédetective in de arm hebben genomen om de twee vrouwen uit zijn verleden te lokaliseren? Of had hij een afspraak met Margit gehad, net als hijzelf kort na zijn aankomst? Het was niet in hem opgekomen het haar te vragen, maar zij had evenmin iets gezegd waaruit bleek dat ze elkaar kenden, zelfs niet telefonisch. Als dat zo was, zou ze het hem wel hebben verteld.

Hij deed langzaam een paar stappen naar het hoofdeinde en streelde zijn vaders voorhoofd, terwijl hij zich machteloos en nutteloos voelde. Zou hij dromen? Zou Laura achter die gesloten oogleden, gelig als perkament, ook aan hem verschijnen? Zou hij doodsbang zijn zonder met de buitenwereld te kunnen communiceren?

'Papa,' prevelde hij. 'Je moet beter worden, je moet je krachten verzamelen en wakker worden. Ik heb je nodig.'

'Meneer Santisteban,' zei een verpleegster vanuit de deuropening. 'De dokter zou u graag even spreken.'

Hij keek op, met tranen in zijn ogen.

'Ik kom.'

De arts stond in de gang op hem te wachten; het was een lange man, iets ouder dan hij, maar al kaal en met een beginnend buikje. Achter zijn montuurloze bril waren zijn ogen felblauw, net als die van Margit. Ze schudden elkaar de hand en liepen naar een wachtkamer die baadde in het licht van de middagzon.

'Luister,' zei de arts, terwijl hij zijn blik zocht, 'ik kan maar beter duidelijk zijn. Ik betwijfel ten zeerste of uw vader nog wakker wordt. U zult andere dingen te doen hebben en het heeft weinig zin hier te blijven wachten op een wonder dat zich niet zal voltrekken. Als hij fysiek tenminste nog in een goede conditie was geweest... maar hij is al oud, hij heeft talrijke fracturen, zijn organen werken niet meer naar behoren...'

Even schoot het door Miguel heen zijn hand uit zijn zak te halen en hem te laten zien wat hij bij zich had. Misschien zou alles veranderen als hij die speld eruit haalde, net als in verhalen en films, maar wat zou die man wel niet denken? Hoeveel uitleg zou hij hem moeten geven voordat de arts begreep waar het om ging, hoe hij in die situatie terechtgekomen was?

De arts was nog steeds aan het woord, maar Miguel luisterde nauwelijks; hij knikte alleen maar langzaam, want hij wist dat heel dat betoog in een paar woorden samen te vatten was: 'Uw vader is al dood; went u aan het idee; het is voorbij.'

'Als u wilt, kunnen we nog een paar dagen wachten,' zei hij nu, 'maar denk aan wat ik u net heb verteld, want de waarheid is dat we niets meer voor hem kunnen doen en dit is alleen het onnodig verlengen van een dubbel lijden, dat van uw vader en dat van u. Ik vind het heel spijtig, echt.'

Als in trance verliet hij de kliniek en liep langzaam in de richting van de rivier, die groen en traag glinsterde tussen oranje, geel en rood verkleurde bomen waar de bries bladeren vanaf plukte die als in een zoele sneeuwval neerdaalden. Zijn linkerhand speelde nog steeds met het popje terwijl hij de herfstpracht met een afwezige blik gadesloeg.

Zonder het echt te hebben besloten, haalde hij het macabere speeltje uit zijn zak en trok de speld eruit, terwijl zijn duim de jeugdfoto van zijn vader tegenhield. Toen hij hem tussen zijn vingers had, besefte hij dat het een zwarte glazen kopspeld was, en opeens wist hij niet wat hij ermee moest doen.

Hij strekte zijn arm naar achteren, nam een aanloopje zoals wanneer hij basketbal speelde en wierp de speld in de rivier. Daarna legde hij de pop op de muur en scheurde de foto in kleine stukjes, die hij een voor een in het water gooide. Als laatste smeet hij het popje erin en volgde het met zijn blik tot het onder de brug van de universiteit verdween, richting de kathedraal, richting de Donau, richting de Zwarte Zee.

Daarna voelde hij zich vreemd leeg, alsof er een enorm gewicht van hem was afgevallen. Het was gebeurd. Goed of slecht, het was gebeurd. Hij zou Margit bellen, ze zouden het laatste doen wat nog gedaan moest worden en dan zou hij vertrekken om zijn normale leven weer op te pakken.

Een paar uur later, in spijkerbroek en trui, en met de sportschoenen aan die hij had meegenomen naar Innsbruck, zat hij in zijn huurauto en volgde Margit in westelijke richting. Zij had later nog een afspraak in een dorp veertig kilometer van Innsbruck vandaan en hoewel ze aanvankelijk geweigerd had het zo gehaast te doen, had ze uiteindelijk toegegeven aan zijn ongeduld en hadden ze besloten met twee auto's te gaan. Daarna zou hij naar zijn hotel en zij naar haar afspraak gaan, en als ze op tijd terug was zouden ze samen eten. Zo niet, dan zagen ze elkaar de volgende dag weer.

Opeens, na al die passieve dagen, had hij sterk het gevoel dat hij er een punt achter moest zetten en moest gaan vergeten.

Ter hoogte van Zirl verliet Margit de snelweg en daarna sloeg ze opnieuw af naar rechts, een secundaire weg op die door een veelkleurig bos omhoog slingerde, tot ze ten slotte parkeerde op een klein vlak terrein waar slechts drie andere auto's stonden.

'Weet je zeker dat je het wilt doen?' vroeg ze zodra ze waren uitgestapt.

Hij knikte zwijgend.

'Heb je de brief?'

Hij knikte weer, reikte in de auto en gaf hem haar. Ze stopte hem in het buitenvak van de kleine rugzak die ze bij zich had.

'Ik heb rozen meegenomen. Witte, want daar hield ze van. Het is een klim van zo'n twintig minuten; er is een pad, maar het is heel smal en het stijgt behoorlijk. Ik hoop maar dat je geen hoogtevrees hebt.'

'Nee. Ik dacht het niet, althans.'

'In elk geval is er een touw. Niet veel bijzonders, maar je hebt tenminste de indruk dat iets je van de afgrond scheidt. Aan het einde is de grot, de Martinshöhle. Daar heeft ze... Heb je goede schoenen aangetrokken?'

'De beste die ik bij me had.'

Margit wierp een blik op zijn voeten. 'Ja, die kunnen ermee door. Blijf achter me en probeer niet rechtstreeks naar beneden te kijken; je kunt beter in de verte kijken, het landschap is indrukwekkend, dat zul je zo wel zien. Daarom was het een van haar lievelingsplekjes. Laura hield van vergezichten en hier, tussen al die bergen, moet je wel klimmen om een panoramisch uitzicht te hebben.'

Het pad was inderdaad heel smal. Aan de linkerkant ging de rotswand honderden meters vrijwel loodrecht omhoog, rechts verdween hij onder hun voeten en opende zich het zicht op het dal, dat zich als een tapijt steeds dieper onder hen uitspreidde. Margit liep met vaste tred en in een flink tempo. Miguel volgde haar in opperste concentratie en keek slechts sporadisch naar de spitse blauwe bergen die de zuidelijke horizon begrensden. Na tien minuten was zijn ademhaling al moeizaam geworden.

'Pauze?' suggereerde Margit.

'Graag.'

Ze bleven stil naast elkaar staan, met hun rug tegen de warme rotswand gedrukt.

'Ik heb in geen jaren zo'n tocht gemaakt,' was zijn commentaar toen hij weer was bijgekomen. 'Conditie heb ik niet meer.'

'Niet veel, nee,' antwoordde ze lachend. 'En dit is nog maar een wandeling. Daarbeneden, in de wand, is een trainingszone voor klimmers; dat is veel vermoeiender.'

'Ik wil het gewoon zo snel mogelijk achter de rug hebben.'

'Ik ook. Zullen we weer?'

Ze begonnen net weer aan de klim toen Miguel bijna struikelde omdat zijn mobiel ging. Hij pakte hem en drukte zich weer tegen de rotswand, op een paar passen bij Margit vandaan. Toen hij de verbinding had verbroken en de telefoon terugstopte in zijn zak was hij bleek geworden.

'Slecht nieuws?' vroeg ze.

'Mijn vader is gestorven.'

Over Margits gezicht gleed vluchtig een uitdrukking die Miguel zo snel niet kon thuisbrengen.

'Het spijt me. Ik vind het erg voor jou, maar het is beter zo. Dat weet je zelf ook, toch?'

Hij antwoordde niet. Zijn keel was dichtgeknepen en

liet geen woorden door. Een paar uur eerder had hij de pop vernield.

'Gaan we door of wil je meteen naar de kliniek?'

Miguel schudde zijn hoofd. 'Laten we dit afhandelen,' zei hij uiteindelijk met verstikte stem.

Zonder nog iets te zeggen draaide Margit zich om en de laatste tien minuten liepen ze in stilte. Het was een stralend blauwe middag, de bomen wiegden loom in de zachte bries en onder hen voerde de wind wervelingen van kleurige bladeren mee die de warme herfstzon weerkaatsten. Zoveel natuurpracht die zijn vader nooit meer zou zien! Zoveel natuurpracht die hemzelf altijd aan zijn dood zou doen denken!

Eindelijk kwamen ze bij een relatief grote holte vanwaar je een schitterend uitzicht op het hele landschap had en in een reflex, nu hij bij de rand van de afgrond vandaan kon, week Miguel zover mogelijk terug, tegen de achterwand aan.

'Mooi, hè?'

Margit stond nog bij de rand, met de rug naar hem toe, afstekend tegen de heldere horizon. Miguel was stil, keek zonder iets te zien naar de hoge bergen met hun door sneeuw gewitte kammen tegen de achtergrond van een blauwe hemel, en dacht aan zijn vader, gestorven in een ziekenhuiskamer in het buitenland, omgeven door vreemden; hij dacht aan alle formaliteiten die hij in gang moest zetten om zijn vaders lichaam te repatriëren; hij dacht aan de begrafenis in Madrid die hij moest regelen, zoals die van zijn moeder twee jaar eerder, maar nu zonder de hulp en troost van de man die altijd de steun en toeverlaat in zijn bestaan was geweest.

'Vooruit, schiet op. Het is nog geen tijd om te relaxen. Laten we het nu eindelijk afronden.'

Miguel kwam moeizaam overeind, alsof al zijn botten verweekt waren.

'Kom hierheen en roep iets als: "Vergeef me, Laura. Rust in vrede." Daarna werpen we de brief en de rozen naar beneden en dan zijn we klaar. Jij gaat terug naar Innsbruck en hebt rust.'

'Moet je per se naar die afspraak, Margit? Kun je die niet verzetten?'

Ze keken elkaar even aan en ze ging overstag. 'Goed. Ik ga met je mee en tolk voor je mocht dat nodig zijn. Het spijt me echt, Miguel, dat zweer ik je. Ik vind het heel erg!'

Ze omhelsden elkaar kort, tot ze zich losmaakte en naar de plek liep waar ze haar rugzak had laten vallen toen ze bij de grot aankwamen.

'Vooruit, zeg wat tegen Laura, dan pak ik de brief en de bloemen.'

Zich volstrekt belachelijk voelend ging Miguel bij de rand van de afgrond staan en begon: 'Laura, het spijt me. Vergeef mijn vader en mij.'

'Harder! Ze moet je ginds in de andere wereld wel kunnen horen.'

'Laura! Sorry! Je bent zijn dochter! Je bent mijn zus!' schreeuwde hij.

De duw kwam zo onverwachts dat hij pas een seconde later, toen hij zijn dood al tegemoet vloog, werkelijk besefte wat hem overkwam. Even wilde hij begrijpen waarom. Toen smakte hij tegen de rotsen en voelde niets meer.

Margit, onverstoorbaar als een sfinx, zag vanuit de grot hoe hij naar de rotsen onder hen viel, te pletter sloeg en daar gebroken bleef liggen, als een kapotte lappenpop op de bodem van het ravijn, een kleine marionet waarvan de touwtjes waren doorgeknipt.

Ze liet geen tijd verloren gaan. Ter plekke rukte ze de zwarte pruik af om haar blonde haren die ze op haar hoofd had vastgemaakt de vrijheid te geven, zette haar bril af en deed de blauwe lenzen uit die ze zorgvuldig in de rugzak stopte, verruilde het lila T-shirt voor een heldergroen, vergewiste zich ervan dat de brief in het voorvak en de rozen in de rugzak zelf zaten en begon aan de afdaling. Spoedig zou een van de klimmers die in het gebied trainden Miguels lichaam ontdekken, maar tegen die tijd zat zij al in haar auto en was weer onderweg. Rafaels dood had niet op een beter moment kunnen komen. Nu was er een duidelijk motief voor de zelfmoord van zijn zoon.

Een halfuur later parkeerde ze voor een landelijk huis in de omgeving van Telfs. Mevrouw Müller was in de tuin de planten aan het water geven en glimlachte toen ze haar zag aankomen, een glimlach die haar zoals altijd gemaakt voorkwam. Ze hadden elkaar nooit gemogen, maar de vrouw had het geld nodig en zelf had ze niets geschikters tegen een gelijkwaardige prijs kunnen vinden.

'Het is al een paar dagen geleden dat u ons hebt bezocht. Hoe gaat het met uw werk?'

'Goed, hetzelfde als altijd, veel en het liefst gisteren klaar, maar ik mag niet klagen.'

Ze ging het huis binnen en liep naar de achterkamer, die uitkeek op een border met dahlia's in allerlei kleuren. Als altijd zat ze in de versleten oorfauteuil bij het raam.

'Het is ons gelukt!' zei ze vrolijk, zodra ze de rozen en het zakje karamels dat ze voor haar had meegebracht op tafel had gelegd. 'We zijn vrij! Rafael is daarnet gestorven, zonder uit zijn coma te zijn ontwaakt. Je hebt er geen idee van hoe ik de afgelopen dagen in de rats heb gezeten, bang dat hij wakker zou worden, dat hij zou vertellen dat hij ons gevonden had, dat hij zich zou herinneren dat ik in de auto zat die hem heeft aangereden. Nee, maak je geen zorgen. Ik heb het met jouw auto gedaan en die is weer netjes opgeborgen in de schuur, waar hij de hele tijd al heeft gestaan sinds je niet meer rijdt. En aangezien de auto niet meer is geregistreerd, bestaat hij officieel niet meer; ik heb overal aan gedacht.

Margit was me op het lijf geschreven. Miguel heeft geen moment aan me getwijfeld. Arme stakker. Maar het is zijn verdiende loon, in spoken geloven! En dat terwijl ik hem een stel foto's van Laura had laten zien, uiteraard wel de onscherpste die er waren. Hij heeft nooit enige argwaan gekoesterd. Voor hem was ik gewoon haar vriendin, een arm, ietwat ordinair meisje zonder de uitstraling van zijn verloren zus. Hij heeft niets gemerkt van het slaapmiddel in de wijn, het kwam niet eens in zijn hoofd op dat ik de geest van Laura was en in zijn slaapkamer rondliep; het kwam geen moment bij hem op dat ik de ravage in de kamer kon hebben aangericht. Ik heb aan alles gedacht, echt aan alles. En dan dat van die pop! Het was perfect. Hij moest er wel van overtuigd zijn dat de zwarte magie had gewerkt. Hij heeft het popje zelf kapotgemaakt, en een paar uur later belden ze hem om te zeggen dat Rafael was overleden. Dat was pure mazzel, natuurlijk.

Over een paar dagen ga ik naar een advocaat en dien ik me aan met Miguels handgeschreven brief waarin hij me erkent. Dringt het tot je door? Hij erkent ons. Na al die jaren is het ons gelukt! Ik haal je hier weg en breng je naar een van die luxe tehuizen waar ze je als een koningin zullen behandelen. Je zult weer beter worden, echt waar. Rafaels geld zal er uiteindelijk voor zorgen dat we gelukkig zijn.'

Laura knielde bij de stoel neer en pakte de hand van de oude vrouw.

'We zullen gelukkig zijn, mama. We hebben het verdiend.'

Anna keek haar afwezig aan, met vochtige rode ogen.

'Komt Rafael nog?' vroeg ze klaaglijk. 'Ik heb hem al zo lang niet gezien! Zeg tegen hem dat hij Laura moet meebrengen. Ze moet nu zeven of acht zijn en ik mis haar vreselijk. Mijn mooie meisje, mijn schat... Zeg dat ze me moeten komen opzoeken.'

'Mama!' drong ze aan, ook al wist ze dat het geen zin had, dat de vrouw haar niet meer herkende, haar niet meer begreep. 'Ik ben het, mama, Laura, je dochter.' Haar ogen vulden zich met tranen en zoals altijd begon ze te snikken.

De oude vrouw schudde haar hoofd en bleef haar aankijken.

'Heb je karamels meegebracht? Ik ben dol op karamels. Rafael kocht altijd karamels voor me.'